Verbum INFANTIL-JUVENIL

CUANDO LOS CUENTOS CRECEN

Verbum **Infantil-Juvenil**

Dirigida por: LUIS RAFAEL

Colección creada especialmente para la formación y el disfrute de los primeros lectores. Libros atractivos, con temas, lenguaje y enfoques contemporáneos, que permitirán a niños y jóvenes deleitarse con la lectura al tiempo que acceden a universos donde la palabra es vehículo idóneo para explicar, desde el arte, las disímiles aristas de la realidad.

EVELYN UGALDE

Cuando los cuentos crecen

EDITORIAL  Verbum

©Evelyn Ugalde, 2016
© Editorial Verbum, S.L., 2016
© Dibujos de portada e interior: Evelyn Ugalde
C/ Manzana 9, bajo - 28015, Madrid (España)
✆ 91 446 88 41
e-mail: editorialverbum@gmail.com
www.verbumeditorial.com
Diseño de cubierta: Santiago Larrodera Baca
I.S.B.N.: 978-84-9074-419-2
Depósito legal: M-33263-2016
Impreso en España / *Printed in Spain*:

ÍNDICE

Presentación

Ha salido de la lámpara de Aladino una nueva escritora, muy conocida por los niños, ya que posee un don especial para entretenerlos y hacerlos felices.

Evelyn Ugalde ahora nos sorprende con su libro *Cuando los cuentos crecen*, en el que coloca a los imborrables personajes de los clásicos cuentos de hadas en situaciones llenas de humor, picardía y con pinceladas de fina ironía. Con un vocabulario sencillo, nos lleva de la mano de aventura en aventura y al final nos suelta para que disfrutemos de los desenlaces inesperados y sorpresivos. A veces nos desconciertan, ya que son tejidos entre la magia y la realidad. Al terminar cada cuento, sentimos que hemos colocado la última pieza del rompecabezas o hemos dado jaque mate en una partida de ajedrez. Sutilmente, los personajes hacen uso de la tecnología moderna, del consumismo, del embellecimiento postizo, con sus causas y sus efectos. Evelyn nos enseña sin aleccionar y narra sabrosamente. Estoy segura de que deleitará con su pluma tanto a jóvenes de mirada inquieta como a los adultos que tenemos en nuestro paladar, todavía, el dulce sabor de la niñez.

LARA RÍOS

El día en que Caperucita cayó en las manos de la tecnología

Un apartamento pequeño con paredes coloradas y plantas verdes parecido a una corona de navidad era la vivienda de Caperucita Roja, quien al crecer fue presa no de las garras puntiagudas del lobo sino de la terrible tecnología. Un día luminoso, como todos en el mundo de los cuentos, conversaba por teléfono con su amiga Rapunzel:

—Esto de estar planchando un domingo sin poder ir a jugar a los videojuegos no me hace mucha gracia pero, ¿cómo salir mañana sin mi caperuza? Síiii..., roja, ¿cuál más?... No deberías de molestarme tanto porque no te imaginas lo que cuesta que salgan bien estos pliegues..., mmmm..., listo, ahora sí, cuéntame... Y entonces la Cenicienta le dio un zapatazo al príncipe por ser un mantenido, ¡qué bueno! Ya se lo habíamos dicho la Bella y yo, pero ella es tan necia... Yo siempre pensé que estaba con él por el dinero... ¡Uy, Rapunzel!, perdona, te tengo que dejar, ya he terminado aquí y debe estar lista la peli que puse a bajar... Síiii, esa de *Blancanieves y el cazador,* no me la pierdo por nada del mundo... Síiii, eso dicen, ¿pero crees que es el mismo cazador de mi historia? No sé, no nos metamos en cuentos, un beso y cuando puedas me pasas la foto por *face* de tu nuevo peinado, *bye*.

Una vez colgado el teléfono fue directa a su rincón, donde tenía cinco pantallas: dos teléfonos móviles, una *tablet*, la compu y la televisión, todas iluminadas con una espantosa luz roja (perdonen que la autora se involucre en la historia, pero era fea, con *f* de "fea").

Todo empezó en cuanto el lobo fue encarcelado y los periódicos dejaron de inventar historias: "que se la habían comido", "que la habían sacado del estómago por medio de una intervención quirúrgica difícil", "que la abuelita era cómplice", "que ella misma había metido el lobo a la cama"... Todos esos chismes la agotaron, pero ella quería seguir visitando a su abuela.

Luego, una de sus compañeras de la universidad, donde Caperuza cursaba el grado superior de informática, le dijo que primero buscara por Google *maps* y verificara cuál era el camino más cercano para llegar a la casa de la abuela, que instalara también Wize en el teléfono móvil, y que definitivamente se olvidara de hablar por mensaje de texto al mismo tiempo que conducía, eso sí era un peligro. El lobo no es nada comparado con un camión que te aplasta de frente.

Después de conocer las maravillas de Internet y haber buscado en incontables fuentes para ver cómo podía superar su fobia a las pieles, conocida como "dorafobia", Caperuza por fin pudo dormir tranquila, pero al día siguiente se levantó y dijo: "Esto de la tecnología y las pantallas es lo mío". Y estas palabras la llevaron directita a la adicción: sus amigos, tanto del mundo de los cuentos como de la realidad, los hacía por Facebook, todos eran simples perfiles situados en un marco cuadrado a un lado de la pantalla, a veces con otras ventanas en las que también conversaba, pero nada más.

La psicóloga virtual le dijo que su problema se originaba en la situación traumática que había vivido con el lobo, lo que había provocado que la rutina de salir de casa fuera para ella espeluznante, así que se refugiaba en una pantalla que parecía, a simple vista, segura. Pero Caperucita, como la llamaban de niña, ya era una joven universitaria que solo iba a las clases que exigían su presencia y que nunca más frecuentaba ningún otro lugar; iba de casa a la universidad y de la universidad a casa, y en el transcurso del viaje *mensajeando* o *interneteando*.

Su piel rosadita de los primeros años fue cambiando a un pálido rostro que le daba una apariencia macabra. Nunca más cocinó pastelillos, a su abuela le hablaba solo por chat y poco a poco se convirtió en una piltrafa humana. Hasta que un día una niña entró a su perfil y le preguntó si ella era la Caperucita del cuento, porque no lo parecía. Le dijo que ella la admiraba y que le encantaba su valor al enfrentarse al lobo, sentía que era su héroe, pero que cuando había entrado a su página

13

de Facebook no era para nada aquella niña del cuento sino que parecía un fantasma, una imagen pálida, demacrada, sin vida:

—Cuando te vi, dije: "¡Pero esta no puede ser! ¡No tiene nada rojo, no tiene pasión, no tiene color, su vida es azul! ¡No, no, esta no es Caperucita Roja!"

Caperuza vio su triste reflejo en otros niños y por primera vez en muchos años un poco de color rojo apareció en sus mejillas. Estaba avergonzada y decidió cambiar su vida y darle más color a su existencia. Lo que pasó después es parte de otra historia...

De cómo Pinocho se las ingenió para seguir mintiendo

—¡Pinocho, hijo! ¡Pinoooochooo! ¿Dónde estás, bandido? ¡Pinoooocho, contesta! ¿Te comió la lengua el gato? Contesta niño, desde que eres un niño de verdad parece que te dejaron las orejas de palo.

—¿Qué pasa, papá, no ves que estoy ocupado? —dijo Pinocho a su padre, Gepeto.

—Ocupado, ocupado... Todo el día frente al ordenador... ¡Es una pérdida de tiempo! ¡Que lo diga yo, que estuve dentro de una ballena, yo que recorrí tantos lugares! ¡A mí no me engañan fácilmente, ese aparato es obra del demonio! —gritaba colérico Gepeto.

—Sí, sí —respondió aburrido Pinocho—. Entonces, ¿qué pasa? ¿Para qué me interrumpes?

—Te preparé tu té especial de corteza de cedro, deja de lado tu computadorcita y échale algo a ese estómago, que ya no está lleno de serrín.

—Bueno, bueno, ya voy... ¡Ah! Y recuerda que odio el incienso con olor a roble, me recuerda a esa época de mi vida que..., bueno..., tú ya sabes...

Pinocho cerró la puerta y se enfrascó de nuevo en su pasatiempo favorito: chatear, porque aunque

Pinocho se había convertido en un niño de verdad, todavía sufría de la constante vigilancia del hada Madrina, que le repetía constantemente: "Aunque ahora eres un niño de carne y hueso, no voy a permitir que digas mentiras, sabes que tengo una fijación con ese feo hábito, y si antes cada vez que lo hacías te crecía la nariz, ahora no solamente te crecerá sino que se te llenará de espinillas. Así que no te quiero atrapar mintiendo, ¿entiendes, Pinocho?"

Así que Pinocho tenía que hacerle caso o se arriesgaba a bajar aún más su popularidad, que ya de por sí estaba por los suelos: "Mira qué tieso camina", se mofaban sus compañeras; "es un cabeza hueca", lo criticaban sus profesores… Y no olvidemos esa famosa cancioncilla que le recitaban sus amigos burlones: "Aserrín, aserrán, los maderos de San Juan…" No podía darse el lujo de tener la nariz más grande y encima llena de espinillas, y logró evitarlo por mucho tiempo, sin embargo, como todo ser humano sentía de vez en cuando esa necesidad de decir una mentirijilla piadosa, aunque fuera para desahogar su rebeldía: "No puede ser que esa hada madrina me obligue a ser un niño perfecto, no se vale… ¿Por qué no me tratará como a los otros niños? Que me pegue pellizcos o me quite algunas horas de televisión…, pero no, ella tiene que darse importancia y hacer pedazos mi ya de por sí difícil adolescencia."

Esa era la triste vida de Pinocho hasta que alguien le presentó la maravillosa Internet y, por supuesto, el primer lugar que visitó fue el chat de Facebook, y esa fue la solución a sus problemas, por fin podría mentir, fingir que era otra persona, tomar el puesto de un astronauta o de un ingeniero, hacer amistad con cientos de personas, mintiendo sobre su edad, su sexo, su oficio, su nacionalidad, su familia, su helado favorito…, todo era una mentira, y lo mejor era que su Madrina no se enteraría, porque ella, al igual que Gepeto, odiaba las nuevas tecnologías.

De cómo la Bella Durmiente recibió una extraña llamada

—Buenos días, clínica de trastornos del sueño, le habla Aurora.

—Buenos días, señorita, ¿ustedes dan consultas por teléfono?

—Claro, ¿en qué puedo serle útil?

—Mire, yo…, este…, no estoy muy segura pero creo que solamente usted me puede ayudar… Primero, déjeme hacerle una pregunta un poco personal, usted, este…, ¿usted es la del cuento?

—Ehhhh… Sí… Hace tiempo que no me lo recordaban, pero sí, soy yo.

Aurora sintió que un estremecimiento le recorría todo el cuerpo hasta la punta del dedo índice, el mismo en que se había pinchado aquella vez con el huso de la rueca. Habían pasado muchos años desde que unió su vida a la del príncipe Felipe, después del maravilloso beso de amor que, además de romper la maldición de los cien años de sueño, la enamoró de por vida. Esa llamada le hizo recordar su origen: esa vida mágica que decidió abandonar para sentirse útil el día que instaló una clínica de trastornos del sueño, terapia en la que, según su amplia experiencia, era toda una profesional.

—Oiga, ¿todavía está ahí? Ey, Aurora, ¿me escucha?

—Sí, estoy aquí, disculpe, cuénteme, ¿en qué le puedo ayudar?

—Mire, señorita, yo no sé cómo decírselo, pero mi amor de madre me hace tomar valor y yo sé que solo usted me puede ayudar.

—Sí, sí, eso ya me lo dijo, pero si no me explica el problema va a ser difícil. Dígame, ¿sufre de insomnio o de pesadillas?

—No, yo no, mi hija, vea... Le voy a decir la verdad: es que ella tiene una vida muy parecida a la suya, bueno... A lo que yo creo que fue su vida, según los cuentos que escucho. Según la gente usted pasó por una experiencia traumática que le hizo dormir por muchos años, ella también, ahora está en coma. Además, usted cayó en esta situación porque se pinchó con un huso, una aguja o algo así, ¿verdad? Bueno, pues ella está así por pincharse, drogas, claro..., es diferente a lo suyo pero es una aguja a fin de cuentas, y es aquí donde le voy a pedir ayuda. Según me contaron, usted pudo salir de este problemita con el beso del que ahora es su marido, ¿verdad?

—Cierto, Felipe —dijo Aurora sorprendida.

—Sí, sí, el príncipe Felipe, a eso iba precisamente, usted, bueno, ¿usted cree que me lo pueda prestar?

De cómo Gulliver convenció a su mujer para que le dejara regresar al mar

Era un día normal en la vida de Gulliver. Como siempre, cae de la cama y se despierta estrepitosamente de su sueño. Ya habían sido varias las veces que amanecía bañado en sudor por el miedo a ser acribillado por cientos de enanos, aplastado por temibles gigantes, o el peor de todos, caballos que gobernaban el mundo. Ni el psicoanálisis, ni el Prozac, ni mucho menos las interminables charlas con su esposa, iban a poder librarle de esas pesadillas que poco a poco acababan con su paz, sin olvidar esas ganas de salir corriendo, de aventurarse. Pero había un gran problema: su mujer.

—¿Qué te pasa? ¿Otra pesadilla? —le interroga su esposa.

—Sí, esta vez fueron pequeñitos que me inmovilizaban y amarraban al suelo, caminaban por mis brazos, hurgaban en mi nariz y tiraban de mis pelos más sensibles.

—Algo tenemos que hacer, no puedes seguir así —dijo ella angustiada.

—Sí, creo que ha llegado la hora, me voy de nuevo al mar —dijo enfáticamente.

—Ah, no señor, usted no me va a dejar sola con lo que costó que regresara de su última expedición.

—No puedes impedir que oiga los designios de mi corazón, es mi destino, no puedo estar mucho tiempo en casa, me desespero.

—Pero Gulli, siempre naufragas y me llegas con unos recuerdos… ¿Por qué esta vez no te vas en avión?

—Te olvidas de los ataques terroristas

—¿Y el tren?

—¿Quién viaja en tren en estos días?

—Pero, ¿qué es esa necedad de buscar aventuras? ¿No te basta con la televisión, el DVD, el cine o los *reality shows*? ¿Por qué no eres como los otros maridos que llegan del trabajo a las cinco de la tarde y conviven con su familia? ¡Ahhh! ¡Ya me lo decía mi mamá: "ese tiene pinta de parrandero!"

—Pero, querida mía, piensa en los regalos que te traeré, te llamaré varias veces, te escribiré por correo electrónico, hasta si quieres chateamos una vez a la semana, y por Skype, y lo más importante es que tal vez hasta escriba un libro sobre mis aventuras. ¡Imagínate!, ser la esposa de un importante escritor.

—Está bien, pero quiero que sepas una cosa, te llevas todos esos enanos, gigantes y caballos parlanchines contigo y los dejas allí lejos, aquí lo único que hacen es importunarnos.

Gulliver salta de alegría y besa a su esposa en la frente.

—Ya verás, cariñito, esta vez todo saldrá bien.

Seis meses después llegó Gulliver sudoroso a su casa, pálido y mucho más delgado. Su esposa, al verlo inmediatamente, le preguntó:

—¿Esta vez con qué criaturas te has encontrado? Estás muy mal.

—Querida, debí escucharte —dijo el hombre, todo maltrecho—. Ha sido la peor experiencia de mi vida, un caos total, nunca creí ser testigo de lo que hallé, o de escuchar lo que escuché: eran cientos de ellos, millones, primero parecían amigables, pero después de convivir con estos seres varios días te vuelves loco. No, no eran sus extraños cuerpos de colores brillantes, no, no eran los televisores en sus estómagos, no, no eran esas eternas sonrisas… ¡Era su lenguaje! ¡Su tono de voz! ¡Su forma de hablar! Esas frases que repetían hasta la infinidad: "¡*Ota* vez, *ota* vez!"… Taladraban mi cabeza, eran exasperantes, de verdad, querida, te lo juro, no hay nada peor que los Teletubbies.

De cómo el Gato con Botas conquistó el corazón de su amada

El Gato con Botas amaneció ese día con ganas de que le relamieran sus bigotes. Desde que murió su amo ya nadie le prestaba atención, estaba aburrido de recorrer el mundo, donde había conocido a muchas gatas, pero ninguna como la gatita Botita Fina.

—Eres un truhán y siempre lo has sido —le gritaba Botita Fina—. ¿Cómo vas a convencerme de ser tu esposa si ya conozco tus antecedentes?

—Porque me conoces, sabes que cuando me propongo algo, lo logro.

—Sí, pero con mentiras —decía ella.

—Suerte e inteligencia —agregó el Gato con Botas.

—Cierto, pero...

—Basta, ¿qué quieres que haga para ser dueño de tu corazón, que me coma otro gran ogro, que te consiga un gran castillo? Si quieres te regalo mis botas tan apreciadas.

—No, mi gatito con botas, ahora las gatas no somos como antes, lo único que pedimos es amor, respeto, igualdad. ¿Para qué quiero yo que te comas un ogro? Ya me imagino de dónde viene tu gastritis, además, ahora mantener un castillo es sumamente caro, y con tantos rascacielos uno se siente como pasado de moda. ¡Ah!, y no te ofendas, pero ya tus botas apestan...

—¿No te acuerdas de que con ellas puedes caminar por todo el mundo en poco tiempo?

—Prefiero las agencias de viajes, ya gano lo suficiente para pagarme esos lujos, y sin dolorosos callos.

Esta conversación era frecuente entre el Gato con Botas y Botita Fina, hasta que un día el ingenioso gato hizo lo mejor que sabía hacer: engañar para lograr sus fines. Convenció a los medios de comunicación de que en la casa de la gata vivía una estrella de cine, por lo que cientos de flores, bombones y cartas de amor llegaban a su buzón cada día. El gato se encargaba de quitar las tarjetas y etiquetas en las que venía el remitente, así que ella pensaba que eran detalles románticos de su perseverante pretendiente.

Luego comunicó, como todo un relaciones públicas, que esa actriz acababa de hacerse una cirugía plástica, lo que hizo que decenas de *paparazzis* tomaran fotografías de la vivienda, así la coqueta gatita se sentía como toda una reina, y por último, les contó muy en secreto que la celebridad tenía un romance con una estrella de rock, así que una avalancha de periodistas invadieron la casa y estuvieron a punto de aplastar a Botita Fina, si no hubiera sido por la "inesperada" aparición del Gato con Botas que llegó a rescatarla en el momento preciso para adueñarse del ansiado corazón de su amada, quien no pudo negarse a su supuesto héroe.

Aun así, la pareja no duró por toda la eternidad, la gatita se acostumbró a los regalos y bombones, sus exigencias eran cada vez más frecuentes…, por lo que el famoso Gato terminó tomando sus apestosas botas y salió un buen día a… comprar tabaco.

De cómo Hansel y Gretel pudieron acabar con su dolor de muelas

En un dormitorio con cojines y encajes rococós Hansel se encuentra junto a Gretel, que está recostada mientras se sostiene una de sus mejillas. Su rostro repite incesantemente una mueca de dolor:

—¡Ayyyyyyy! ¡Me duele, Hansel! ¡Vamos, llama al doctor, por favor!

—Gretel, ya sabes que él no nos cree, piensa que estos dolores de muelas son imaginarios, piensa que somos unos hipocondriacos, como quien dice, ¡puro cuento!

—Lo que pasa es que, igual que los doce dentistas que hemos visto, no encuentran nada fuera de lo normal. Sus simples ojos humanos no ven nada, según ellos, nuestros dientes están perfectamente.

—Pero ya le hemos explicado que estas caries no se ven porque a nuestras muelas las atacaron golosinas mágicas, ¿te acuerdas?

—Sí, pero eso empeora nuestro problema, Gretel. La gente nos toma por locos, piensa que huimos de la realidad debido al abandono de nuestros padres.

—Hansel, analicemos nuestra situación: el dolor existe, las caries no, la casa de golosinas todavía está allí, pero la bruja no, los dentistas no nos ayudan y la gente cree que estamos locos... ¡Ayyy! ¡Y a mí me duele cada vez más! ¿Qué hacemos?

—Solo hay una solución: regresemos a la casa de la bruja, allí debe estar la respuesta...

Hansel y Gretel, como buenos hermanos, nunca se separaron. Juntos vivieron cómodamente su vida, gracias al tesoro que se llevaron de la casa de golosinas, pero de lo que muy pocos se enteraron era que a Hansel y Gretel los unía un mutuo dolor de muelas de origen misterioso que al parecer se debía al banquete de caramelos, chocolatinas y pasteles que disfrutaron los niños antes de salir de la casa de la bruja.

Ese terrible sufrimiento les hizo regresar a la abandonada vivienda de la temible hechicera que estuvo a punto de comérselos hacía algunos años. Encontrar el camino fue fácil, lo difícil fue controlar el palpitar de sus corazones que, conforme se acercaban a su destino, estallaban de la tensión. La casa estaba allí, deshabitada, carcomida por las hormigas y otros insectos golosos. La puerta hizo ruido, pero dentro reinaba el silencio. Un olor nauseabundo impregnaba todo, olía como a pelos chamuscados. Miles de imágenes horribles atacaron la mente de los hermanos, que si no hubiera sido por el deseo de poner fin a su dolor, hubieran salido corriendo. Hansel tomó la mano de Gretel, la miró con firmeza y juntos corrieron a la habitación en la que se encontraba la solución a sus problemas. Sabían que la bruja la tenía siempre allí, sabían que nadie la podía cambiar de lugar... Y era cierto, la pasta de dientes mágica estaba allí, encima del lavabo.

De cómo Aladino montó su negocio en América

Aladino enderezó su turbante, se peinó una de sus cejas, tomó su morral y lo colocó sobre su hombro izquierdo. La decisión estaba tomada: se iba hoy mismo para América. La tierra de las mil y una noches ya no era lo mismo, la guerra acabó con todo, los misiles derribaron las alfombras mágicas, los encantadores de serpientes huyeron junto a los faquires, los soldados acabaron con la magia oriental... Sin embargo, América se dibujaba en la mente de Aladino como el camino para hacer realidad sus sueños, estaba seguro de que aquel lado del mundo le deparaba sorpresas.

Ya en el nuevo continente, Aladino observó un letrero en una apartada tienda del mercado, una señal de que América podría ser un nuevo comienzo para él. Sin dudarlo ni un minuto, y sosteniendo con fuerza su equipaje, entró en La casa de las lámparas.

—Buenos días —dijo Aladino al dependiente del lugar.

—Buenos días —respondió un viejecito con mirada calculadora que pasaba su escoba por doquier—.

Bienvenido a La casa de las lámparas, ¿en qué le podemos servir, busca algo en especial? Tenemos lámparas de mesa especiales para leer antes de dormir, lámparas de lágrimas, lámpar...

—¿Lámparas mágicas? —le interrumpió Aladino.

—¿Cómo, lámparas mágicas? No, no señor —respondió de forma risueña el dueño de la tienda—. ¿Me está tomando el pelo?

—Ah, ya me lo imaginaba yo —reflexionó Aladino—, está bien eso de que en América se encontraba de todo, pero eso de tener lámparas mágicas sería el colmo del consumismo, con lo que me costó a mí...

—Señor, siéntese —le interrumpió el tendero—, ¿se encuentra bien? Me parece que está desvariando.

—No, usted no entiende, bueno, ¿qué va a saber usted?

—Disculpe, yo sé todo sobre lámparas, solo pregúnteme, soy graduado en ingeniería eléctrica, hasta conexiones en telecomunicaciones puedo hacer, pero qué va, usted no tiene pinta de saber de esas cosas, en fin, ¿qué busca aquí, señor? —argumentó exasperado el dueño.

—No, no, no, usted no me entiende, no creo que me pueda ayudar —contestó sumamente alterado Aladino.

—Tranquilo, amigo, tranquilo... ¡Qué genio!

—Genio, sí, un genio es lo que necesito, el mío huyó a causa de la guerra, dijo que había otros que lo necesitaban más que yo, bueno, tenía razón y lo dejé ir...

—Señor, señor, otra vez desvariando, voy a tener que pedirle que se retire si no me dice en qué le puedo ayudar.

—Es que a veces desearía tener a alguien a quien pedir deseos...

—Hoy estoy de humor, a ver, cuénteme sus deseos.

—Quisiera tener un negocio propio, en que me llueva dinero rápido y donde la gente que lo visite salga feliz... Eso quiero.

—Creo que tengo la solución, sígame...

Tres meses después Aladino comprobó que en América los deseos se cumplen casi por arte de magia. Su bar La lámpara mágica lo convirtió en poco tiempo en uno de los personajes más influyentes y ricachones de la ciudad, y nunca vio a la gente tan feliz como cuando le visitaban. Hasta había clientes que gritaban, cantaban y se tambaleaban de la alegría.

De cómo la Cenicienta superó su extraño insomnio

La vida de la Cenicienta era como la de cualquier otra heroína de un cuento de hadas, no a cualquiera le habían bendecido con la frase "vivieron felices para siempre", por lo que estaba libre de infidelidades, secuestros, hijos drogadictos y demás. Pero otra frase con la que en ocasiones terminan muchos cuentos, que dice algo como "me meto por un huequito y me salgo por otro, para que ustedes me cuenten otro", además de quitar responsabilidad al escritor del verdadero final de su historia, deja abierta la puerta para que se cuele algún que otro conflicto en el tranquilo mundo de la fantasía.

Eso fue lo que le sucedió a la Cenicienta, quien a los dos años de estar disfrutando de un increíble matrimonio, sufría de un extraño tipo de insomnio.

Una de esas noches en que no podía dormir, llamó al doctor de la familia. A su lado dormía plácidamente el Príncipe Azul, que ya no era tan azul como en los primeros tiempos, y que roncaba como cualquier hombre que trabaja durante todo el día. Ella dijo:

—Hola, doctor, habla Cenicienta, la esposa del Príncipe Azul.

—Hola, Cenicienta —respondió el médico bostezando a esas altas horas de la noche—, ¿cómo sigue su marido con el problemita de los labios amoratados?

—Bien, mucho mejor —señaló la Princesa—, la manzanilla le ayuda, pero en esta ocasión no le llamo para hablar de él. Quiero comentarle sobre una situación que desde hace noches vengo sufriendo. No puedo dormir antes de las doce de la noche. Es como si tuviera un reloj interno que me activa unas incontrolables ganas de correr. Es una ansiedad y un cosquilleo en los pies. Esto no sería un gran problema si yo no tuviera que acompañar a nuestra hija Celeste a la guardería todas las mañanas, por lo que necesito madrugar. Doctor, ¿qué hago?

—No se preocupe, déjeme echarle una ojeada a sus antecedentes médicos... Uhm... —susurró el médico—, sí, usted debe estar padeciendo el trauma de las Cenicientas.

—¿Y eso en qué consiste? —preguntó ella, temerosa.

—Es obvio —dijo el doctor—. Usted teme dormir y despertar siendo la chica de bajo perfil que fue siempre.

—¡Nunca! —gritó ella.

Al otro extremo el doctor dijo: "¡ay!, mi oído".

—Perdón —susurró triste la princesa.

—Ya lo tengo —dijo entusiasmado el doctor, todavía frotándose la oreja—, siga mis instrucciones al pie de la letra: coloque todas las noches sus zapatillas de cristal debajo de su cama unidas por un lazo muy fuerte que impida que alguna de las dos se pierda y, sin importar lo que haya cenado, tome antes de acostarse un té de calabaza. Cuando empiece a soñar con hadas madrinas, corceles lacayos y ratones parlanchines, deberá entrar en su mundo de fantasia y esperar a que llegue la mañana para ser de nuevo una mujer moderna que lleva a su hija Celeste a la guardería para que aprenda a leer cuentos de hadas.

De por qué el Flautista de Hamelín devolvió a los niños con sus padres

El día en que el Flautista de Hamelín nació, varios jilgueros penetraron en bandada en su habitación. Su madre, en lugar de sorprenderse, explicó que se trataba de una señal del cielo, una afirmación que se dio por cierta cuando el pequeño, en lugar de berrear, empezó a silbar.

El Flautista, como le llamaban, provenía de una familia de artistas, su madre había sido una hermosa cantante y su padre un músico envidiable. Pero lo que hacía la diferencia entre el Flautista y sus progenitores era que el talentoso joven desde muy pequeño había tomado la decisión de que él no se moriría de hambre como sus padres y que sacaría muchas bolsas de oro de ese talento. Es así como comenzó una empresa en la que utilizaba la música para solucionar problemas y no para entretener.

Con un poco de ingenio y olfato para los negocios se fue a recorrer aldeas y en cada una de ellas encontró beneficios a su extraño talento: en una amaestró caballos salvajes, en otra curó sonámbulos, por aquí sanó dementes, por allá acabó con una epidemia de mosquitos…, y todo gracias a su música. Su fama se extendió cuando, con solo unas cuantas melodías de su flauta, logró librar al pueblo de Hamelín de las ratas, cuento ya por todos conocido que además de bautizarlo ante el mundo entero como el Flautista de Hamelín dejó en evidencia su carácter vengativo y su rencor por todos aquellos que se olvidaban de pagar.

De lo que pocos se enteraron (tal vez porque en los cuentos, así como en las leyendas, las cosas a veces quedan a medias) fue la verdadera razón por la que los niños regresaron con sus padres.

Para averiguarlo, una rata vengativa y chismosa que quedó por allí me contó muy en secreto que la verdadera razón fueron los terribles sufrimientos que tuvo que soportar el Flautista durante los días en los que retuvo a todos lo niños de Hamelín en medio de una montaña:

—Niños, calma, quietecitos. ¡Eh, Juanito, no le tires de las trenzas a Herminia! ¡María, deja de pegarle a Serafín! ¡Por Dios, en qué momento se me ocurrió traérmelos aquí, a esta montaña donde nadie me puede ayudar! ¿Yo qué voy a saber de niños? Sé de ratas, de caballos, hasta los mosquitos eran menos revoltosos que estos diablillos… Pero tengo que aguantar, unos días más de sufrimiento harán que ese avaro alcalde sufra por la decisión de menospreciar mi trabajo. ¡Eh, Matías, quita esa rana de la cabeza de Jacinta! ¡Uyyy! ¡¡Cuánto más!!

Y fue por todo este alboroto por lo que el Flautista devolvió los niños a sus padres, en realidad nuestro protagonista no sufrió al brotar las cien mil lágrimas, sino al encargarse de dar los cien mil coscorrones.

De cómo los lobos de los cuentos decidieron mejorar su imagen ante el mundo

A lo largo de muchos años los lobos sufrieron grandes palizas y humillaciones por ser los malos de los cuentos, y vaya si lo merecían porque eran mentirosos, molestones y disfrutaban de cenar niñas con caperuza roja, cabritos abandonados por su mamá o cerditos constructores.

Pero después de sufrir de piedras en el estómago, de quemarse el trasero al bajar por la chimenea y de ser cortados o tiroteados por cazadores y leñadores, a ningún lobo se le ocurrió seguir los pasos de sus progenitores, al contrario, decidieron empezar a hacer el bien.

Sus intenciones eran buenas, pero los estereotipos los perseguían, las niñas huían cada vez que intentaban entablar conversación con ellas, los animalitos del bosque les temían, y si decidían hacer buenas obras todos decían que seguían siendo lobos con piel de cordero.

Por lo que un buen día decidieron limpiar su imagen, trabajar las relaciones públicas e implementar una campaña de prestigio que llevara a los lobos tan alto que casi, casi, tocaran los dedos a Dios.

Durante los primeros días a muchos les era difícil dejar atrás sus tácticas habituales:

—Vamos a soplar y soplar hasta que alguien caiga en nuestros brazos —decía uno.

—No, no, vamos a disfrazarnos de abuelitas para que todos terminen amándonos —recomendaba el otro.

—No. ¡Qué tontos! La solución está en aclarar la voz con huevos y en blanquearnos las patas con harina —decía el cocinero del grupo.

Era difícil encontrar una solución lógica a su desprestigiada vida, algo se había avanzado con *El lobo del aire* y *Bailando con lobos*, pero todavía las garras y los afilados colmillos eran sus peores enemigos. Solo había una solución: serían vegetarianos, se cortarían las uñas y se pondrían dientes postizos. Además, aprenderían buenos modales, se confesarían todos los meses e irían a la iglesia una vez por semana. Pronto serían amados por todos…

Y fue verdad, muchos les abrieron las puertas de sus casas, les llevaban de paseo, les alimentaban y hasta les consideraban sus mejores amigos, pero una gran verdad les perseguía, ellos no eran unos verdaderos lobos, poco a poco fueron convirtiéndose en…, perros. Y estos sí tenían buena fama.

De cómo la televisión le cambió la vida a Rapunzel

Es conocido por todos que muchos personajes de cuentos no tienen tiempo de aburrirse porque cada minuto de su vida está lleno de aventuras: Alicia, en medio de los no-cumpleaños y juegos de cartas andantes, no puede quejarse de tener una vida tediosa; Pulgarcito, a pesar de su pequeño tamaño, ha vivido enormes acontecimientos que incluyen matrimonios con sapos y burros parlanchines... Pero no todos los habitantes de los cuentos pueden vanagloriarse de tener una agitada existencia, como es el caso de las princesas atrapadas en los castillos a la espera de que su príncipe las rescate de las garras de un dragón, una bruja o un encantamiento.

Rapunzel, la bella joven de larga cabellera, es un ejemplo perfecto de damisela atrapada en una aburrida existencia en lo más alto del castillo. Y digo esto porque, por muy increíble que parezca, al ser rescatada por su príncipe, el ingenuo monarca la llevó a vivir con él en su nuevo nidito de amor, ubicado, irónicamente, en lo alto de otro castillo.

Ahora la vida de Rapunzel no está bajo el hechizo de una bruja, sino bajo el maleficio de la cotidianidad y la rutina. Pasa las horas contando moscas y peinando su larga cabellera, que de nuevo ha dejado de crecer.

Hasta que un día sucede algo que cambia su vida, la tecnología toca a su puerta y en menos de lo que canta un gallo Rapunzel instala en su habitación una enorme televisión de pantalla plana de 50 pulgadas con equipo de DVD incluido.

Desde ese momento la inocente Rapunzel cambia su forma de ver el mundo, es como si naciera de nuevo, tiene tanto que modificar en su vida... No podía creer lo mal encaminada que estaba, definitivamente iba a hacer transformaciones en su existencia, pero lo primero que debía hacer era hablar con su marido...

—Rapunzel, damisela, échame la cabellera —gritaba el príncipe cada vez que llegaba a casa. Era la señal para que Rapunzel dejara caer sus largos cabellos por la ventana y así el joven pudiera entrar a su hogar. Nunca cambiaron este sistema de entrada porque, según el príncipe, daba un toque de romanticismo a su relación.

—Ya voy, ya voy. Espera que tengo que quitarme los rulos, dame una media hora y termino —gritaba la joven.

—Déjate algunos puestos, me ayudan en la subida.

—Es cierto, ahí va, ¿lo atrapaste? Espérate para ponerme la almohada en la boca. Listo.

—Hola querida, ya estoy aquí.

—Sí, me doy cuenta, ahora siéntate que tenemos que hablar.

—A partir de hoy he abierto los ojos, escucha lo que quiero desde este momento: viajar una vez al año a Miami, Disneylandia o a cualquier punto del mundo, tener una conexión a Internet que nunca se caiga, conocer un centro comercial, bautizar nuestra calle como 90200 algo, tener un gato llamado Garfield, ir a comer de vez en cuando hamburguesas o pollo frito, conseguir una crema anticelulitis, organizar en el Mc-Donalds fiestas a nuestros hijos en que lean Harry Potter y cacen *pokemons*... ¡Ahhh! Y lo más importante: a partir de este momento, y por tu propio bien, te pido que me enamores con flores y chocolates y mandes instalar el dichoso ascensor.

De cómo la madrastra de Blancanieves quedó atrapada por su obsesión de belleza

La malvada madrastra de Blancanieves no murió en realidad como muchos lo piensan, sino que vivió escondida de todo el mundo tramando su regreso. Lo que antes dejaba en las manos de la brujería ahora se lo encargaba a la tecnología, que en poco tiempo había avanzado a pasos agigantados en el campo de la estética. Como todos sabemos, el odio que la bruja sentía por Blancanieves era alimentado por la envidia, no podía soportar que esa jovencita le ganara en belleza, y con el transcurso del tiempo ese gusanillo le carcomía por dentro. No podía tener paz hasta que no fuera la mujer más bella del mundo.

Fue esta la razón por la que desde el preciso momento en que Blancanieves y el Príncipe celebraron su luna de miel, la maléfica y humillada reina huyó a la ribera francesa a darse baños de sol, luego a Miami a hacerse una liposucción, después viajó a París a peinarse como las famosas, más tarde a Nueva York, donde se quitó un poquito por aquí, un poquito por allá...

Luego viajó a Venezuela y conversó con antiguas reinas de belleza, practicó yoga en la Indica y tomó las mejores infusiones en China... Como un torbellino arrasó en las tiendas, compró cosméticos, cremas, perfumes, tintes, las más llamativas ropas, zapatos y joyas... Hasta pasó toda una semana respirando oxígeno, al mejor estilo Michael Jackson.

Solo le faltaba un detalle para lograr ser la mujer más hermosa del mundo, un consejo que al parecer era el secreto de la mismísima Cleopatra: un elixir que le dio un misterioso enano al salir del centro comercial.

Llegó muy entusiasmada a casa. Sus criados no ocultaban su impresión, y mientras la miraban boquiabiertos, los espejos le piropeaban. El cambio era impresionante. Solo un detalle y estaría lista.

—Blancanieves, ¡prepárate! —decía muy confiada la bruja mientras dejaba caer sus ropas y se metía en la tina donde su doncella ya le había preparado su baño con la infusión indicada.

Se sumergió, meditó un rato, colocó incienso y velas aromáticas, y por un minuto olvidó su obsesión, hasta que sintió que algo no andaba bien, respiraba con dificultad, percibía un peso en su pecho y su piel se sentía extraña.

Asustada, se levantó, caminó hacia su espejo, y al mirarse, un grito aterrador invadió la habitación.

No podía creer lo que mostraban sus ojos: su antes respingona nariz caía poco a poco por su mejilla izquierda, su busto —antes lleno de silicona— había desaparecido y en su lugar aparecieron unas pintas rojas que también se esparcían por brazos y piernas.

—¡¡Aniceta!! —gritó enfurecida la madrastra—. ¡Corre, ven inmediatamente!

—¿Qué pasa, señora? —preguntó la criada, mientras se ocultaba tras su delantal para no ver el monstruo que estaba frente a ella.

—¿Qué tenía la tina de baño?

—Lo que usted me dio. Vea, vea, la etiqueta dice: "hecho a base de manzanas". Simplemente manzanas.

De cómo Pedrito, el del lobo, entró en el cielo

Pedrito fue conocido en el mundo de los cuentos como aquel niño que mintió y mintió y mintió y por eso nadie le creyó cuando de verdad vino el lobo. Desde sus primeros años era un chiquillo muy embustero, cuando quería tomar leche le decía a su mamá que unos duendecillos que vivían debajo de su cama eran los que se la pedían. Nunca se comportó como un niño normal, cuando los demás lloraban para pedir su chupete él inventaba historias de trolls hambrientos o extraterrestres con apetito. En la escuela sus compañeros le pagaban con su merienda para que inventara las composiciones que les pedían en clase, porque sabían que Pedrito iba a inventar relatos increíbles. Su mamá estaba cansada de adivinar si su niño decía una mentira o si era sincero, cosa que casi nunca sucedía. Hasta que ocurrió la traumática experiencia con el lobo, un relato que muchos conocemos, ya sea porque nos llegaron los cuentos o porque lo escuchamos directamente de boca de nuestros abuelos.

Después de sufrir las consecuencias tan terribles de decir tamaña mentira, Pedrito decidió cambiar totalmente de vida. Nunca fue el mismo, de un día a otro se transformó, una decisión que hizo de su vida una veneración a la sinceridad. Nunca mintió. Nunca.

Hasta que un día murió y, como todos nosotros, tuvo que presentarse inmediatamente ante San Pedro:

—Buenos días, ¿cómo estás, hijo mío? —le dijo amablemente el anciano de barba blanca y tupida.

—Más o menos, para serle sincero. Estoy medio flojo del estómago, comprenda usted, por el susto.

—Ejem… Bueno, Pedrito, tranquilízate, solo te voy a hacer algunas simples preguntas, ¿de acuerdo?

—Qué voy a hacer, si es parte del proceso para entrar al paraíso, estoy a sus órdenes.

—Pedrito Pérez, ¿mejor conocido como Pedrito, el del lobo, verdad?

—Sí, pero no quisiera hablar de ese suceso, fue humillante, pero San Pedro, eso me hizo cambiar, me imagino que usted lo debe tener apuntado por ahí.

—Espérate, ya vamos a llegar ahí, primero responde: ¿hiciste felices a tus padres?

—Bueno, lo que se dice felices, felices, no, en realidad no…, desde el día que mi mamá me preguntó que por qué no les visitaba los fines de semana y yo le respondí que era porque tenía que ver los partidos de fútbol. ¿Qué quería, que les mintiera?

—Ay Pedrito, bueno…, siguiente pregunta: ¿hiciste feliz a tu esposa?

—Bueno, lo que se dice feliz, feliz, no, en realidad no…, desde el día que mi esposa me preguntó cómo le quedaba el vestido que acababa de comprar y yo le dije que si eliminaba unos 40 kilos de más, la celulitis, las arrugas y las canas, se vería como una reina, ¿pero qué quería, que le mintiera?

—No vas nada bien, bueno y la última, ¿hiciste feliz a tus hijos?

—Ay, San Pedro, no sé cómo decirle, pero lo que se dice felices, felices, no…, desde el día que Josecito me preguntó si iba a estar con ellos para siempre y yo tuve que decirle muy seriamente que no, que algún día moriría.

—Pedrito, Pedrito, ¿qué hacemos? Déjame sacar cuentas, uno más dos dividido por cuatro, sí, sí, espera, ya está, tengo aquí varios puntos a tu favor: honestidad, sinceridad, transparencia, rectitud, lealtad. Pero por otro lado, hijo, ¡qué meteduras de patas! En estos casos solo tengo una solución, entrarás en el cielo, pero calladito, y eso sí, por la puerta de atrás. Cuando llegues al cielo preséntate inmediatamente para que te reclute el ejército de ángeles guardianes de la verdad. Allí nos serás de mucha ayuda. Serás el encargado de susurrar consejos a los abogados de la tierra, en algún descuido (o *déjà vu* como le llaman ellos) te aprovechas, y que de su boca salga inconscientemente la esperada verdad.

De cómo Juan Sin Miedo venció su miedo al agua

Juan Sin Miedo despertó un día inundado en sudor, de sus cejas caían gotas que resbalaban juguetonas por su enorme nariz, su camisón estaba hecho una sopa, y unido al palpitar de su inquieto corazón semejaba un tenebroso mar en medio de la cama.

Cada noche tenía la misma pesadilla: cientos de peces amarillos y morados abrían sus trompudas fauces para devorarlo de un solo bocado, él nadaba y nadaba contra la corriente para refugiarse, pero no lograba avanzar un solo paso.

Como algunos recordarán, todo empezó aquel día en que su queridísima esposa, cansada de escucharle quejándose constantemente por no saber lo que era el miedo, le tiró sobre su cama cientos de peces en medio de un profundo y reconfortante sueño. ¡Ella era así de cariñosa!

Nunca olvidaría esa primera sensación, el cálido y tranquilo sueño que disfrutaba cambió en un instante al frío inhumano de extrañas criaturas que clavaban puntiagudas escamas en su piel.

Desde ese momento el famoso Juan Sin Miedo se enfrentó cara a cara con la única fobia que le perseguiría durante años. Era urgente buscar una solución porque su vida era un constante martirio.

—Juan, ven, báñate, que ya apestas —gritaba su mujer.

—No, no, y no, hasta que no me aseguren que por esos agujeritos no se va a colar ningún escurridizo pececillo —clamaba asustado Juan.

—No seas ilógico, allí no cabe ni una sardina, necio, majadero. Tienes que darle buen ejemplo a tus hijos, no te va a pasar nada.

—Verifica que el agua esté hervida y colada, no quiero ver a ningún ser vivo coleteando en ella.

"Nunca observé el miedo de frente, pero cuando contemplé su feo rostro, le vi cara de pez", era su frase preferida.

Esta discusión la tenían todos los días, se repetía cada vez que se lavaba las manos o se acercaba al baño. Su imaginación nadaba más rápido que él, no era raro el día en que le asustaba un pez imaginario que le guiñaba el ojo antes de desaparecer por el váter, o en que caía en pánico al sospechar que esa tarde iban a llover ranas, sapos y, por supuesto..., peces.

Lo bueno es que su fobia era un asunto muy privado, que solamente su familia conocía. Su secreto estaba bien guardado, en el pueblo todos le seguían llamando Juan Sin Miedo porque estaban convencidos de que era un personaje inmune a cualquier temor.

Esta situación continuó hasta que un terrible huracán derribó el puente del pueblo donde vivía y por el que se traían los alimentos del pueblo vecino.

En cuanto esta tragedia sucedió todos pensaron en Juan Sin Miedo para resolverlo, él era el indicado ya que no le tenía miedo a nada, lo único que tenía que hacer era ir nadando hasta el otro lado y pedir ayuda. Una solución fácil que surgió de las inocentes mentes de sus vecinos, pero que convirtió la vida de Juan en un torbellino de dudas y miedos. Su reputación era muy importante pero, ¿qué hacer si el río tenía pececillos repugnantes y repulsivos?

—Tal vez esta sea la solución a tu problema —le dijo su esposa, sumamente arrepentida de haber sido ella la causante de su fobia, pero intentando convencerle para resolver su conflicto y el de la comunidad entera.

Al día siguiente Juan Sin Miedo salió de su casa con el estómago revuelto, las piernas temblorosas y sudando copiosamente para enfrentarse cara a cara con lo único a lo que temía: el agua y los peces. Fue difícil tomar la decisión y dar el primer paso, pero conforme se acercaba al antiguo puente iba encontrando muestras de solidaridad y confianza.

—¡Juan Sin Miedo, Juan Sin Miedo! —le vitoreaban en las calles.

Los niños se le acercaban para pedirle autógrafos, las jovencitas le tiraban besos y las señoras le enviaban su bendición.

Esto llenó el alma de Juan Sin Miedo de valentía, por lo que su misión fue todo un éxito. Al llegar al otro lado no solo logró su objetivo y consiguió el alimento, sino que llenó su corazón de toneladas de valentía a prueba de agua.

De cómo Juan, el de las judías mágicas, limpió su conciencia

Muy pocos nos enteramos de que Juan, el de las judías mágicas, padecía enormes cargos de conciencia después de haber penetrado ilegalmente en su cuento en la vivienda del gigante, engañarle y robarle la gallina de los huevos de oro y el arpa mágica.

Después de la fatídica tarde en la que el gigante cayó de la enorme planta, Juan no tuvo una sola noche más de tranquilidad, en sus pesadillas danzaban elefantes rosados y amarillos que le señalaban como culpable.

Su madre, cansada de ver a Juan con esa cara atiborrada de remordimientos, le propuso una idea:

—Juanito, tranquilo. Mira, yo me puse a meditar y encontré una posible solución, bueno, una forma de que te puedas sentir mejor. Escucha, con el dinero de los huevos de oro podemos construir un centro comercial especialmente diseñado para los gigantes. Todo en tallas extragrandes: camisas XXXXL, botas de ocho leguas, abrigos para arropar a un ejército entero, castillos de dimensiones impresionantes con todo lo necesario para suplir las comodidades de un ser de increíble tamaño...

—Buena idea, mamá. Desde el día en que cambié la vaca por las judías no me sentía tan contento. Daré a los gigantes todo lo que necesiten, construiré Gigantelandia.

Tal vez algún día me encuentre con ese ser, que me lo agradecerá enormemente.

Desde ese día, Juanito y su madre crearon un gran imperio comercial y convirtieron sus lágrimas de vergüenza en gotas de sudor. Construyeron enormes tiendas, monumentales restaurantes, asombrosos parques de juegos, inmensos estacionamientos… En el centro comercial colocaron el arpa mágica para que con sus dulces notas distrajera a los visitantes.

Los días transcurrían normalmente, nada se salía de la rutina en Gigantelandia, hasta que un día Juan se acercó a su madre y le dijo—: Qué extraño, madre, ayer por fin pude dormir tranquilamente, pero no sé el motivo. Entiendo que nuestro emporio gigantesco camina viento en popa, pero te pregunto: ¿ha sucedido algo extraño estos días?

—Ay, hijo, yo no sabría decirte sí o no porque no estaba segura, pero ahora que lo mencionas, ya no hay duda, ayer tuvimos un visitante que compró de todo en el centro comercial: camisas, zapatos, sombreros, electrodomésticos, comida, joyas, hasta un castillo entero adquirió. Fue el cliente más dadivoso desde que abrimos Gigantelandia y yo estaba tan emocionada que hasta el arpa le regalé, estaba tan embelesado escuchándola, sonaba cantaba con tanta dulzura, que bueno…, no te distraigo con más detalles, la cosa es que ese gigante se llevó toda la tienda, como quien dice. Aquí está el cheque, mira, mira…

—Mamá, ¿te fijaste bien en la cantidad? ¿Miraste bien este cheque?

—No, no, en realidad no, ¿por qué?

—Dice: "En esta vida todo se paga".

EVELYN UGALDE

Una estrategia de animación a la lectura para cada día

I.S.B.N: 978-84-9074-325-6

Te invitamos a entrar en el mundo de la fantasía, donde podrás jugar con tus nuevos amigos, los cuentos. La lectura te está esperando para que un buen día te acerques a ella y te enseñe a disfrutar, aprender y jugar. Este libro ofrece una serie de estrategias de promoción con el objetivo de formar, desde que son pequeños, nuevos lectores. Padres de familia, maestros, bibliotecarios... pueden encontrar en estas páginas actividades que ayuden a los niños a superar las dificultades que se encuentran en esta materia esencial para sus vidas.

Con estas propuestas volaremos en esas "alfombras mágicas de la imaginación" que, según Jorge Luis Borges, son los libros.